Globetrottel sucht Urlaubspartnerin
Stilblüten

Zusammengetragen von Bernd und Uta Ellermann

D1457838

Deutscher
Taschenbuch
Verlag

Von Bernd Ellermann
ist im Deutschen Taschenbuch Verlag erschienen:
Ihr Computer hat mir ein Kind zugelegt (10596)

Originalausgabe
1. Auflage Januar 1990
© 1990 Deutscher Taschenbuch Verlag GmbH & Co. KG,
München
Umschlaggestaltung: Celestino Piatti
Umschlagbild: Jules Stauber
Gesamtherstellung: C. H. Beck'sche Buchdruckerei,
Nördlingen
Printed in Germany · ISBN 3-423-11171-2
1 2 3 4 5 6 · 95 94 93 92 91 90

Ehering aus pers. Gründen billig abzugeb., mit Gravur „Elke".

Wir heiraten 19. August 1988

Horst L̶̶̶ Jutta ̶̶̶

7730 VS-Schwenningen, ̶̶̶̶̶

Der <u>Trauergottesdienst</u> findet am
20. August 1988 um 14.00 Uhr
in der Markuskirche statt.

Ⓐ

Herr mittleren Alters
sucht lediges Maedchen
(Jungfrau) **zwecks Heirat.** Zuschrif. an die
Ztg. unter n° **18.234.**

Tausche schwerverständliches Buch über Empfängnisverhütung gegen Kinderwagen. Tel.

42jähriger Globetrottel sucht Urlaubs-Partnerin.

Suche sportbegeisterte, tierliebe Frau
bis ca. 40 Jahre. mit TV-Kabelanschluß.
Angebote unter B 810 a. d. Gesch.

Brautkleid, einmal aus versehen getragen, zum Höchstpreis zu verk. Wegen
Umzug. Herd. Spüle, Kühlschr., Schränke. Sonnenbank. Tel. (0 64 41) ̶̶̶̶

● Serioses Ehe-Vermittlungs-Institut
sucht ansprechende Vorzimmerdame.
die unseren Kunden schon mal zeigt.
wo s langgeht Termine unter 654 35

Wir heiraten am 29. April 1988

Corinna Berger und Klaus Elsen

Polterabend: am 22. April 1988
im Bürgerhaus ̶̶̶̶̶.

Wir bitten vom Poltern abzusehen.

Hier liegt
Martin Krug
der
Kinder, Weib
und Orgel
schlug.

Hier ruht

Amtmann
Isengrimm
woog 500 Pfund
sonst weiß man
nichts von ihm.

RATREY o. Br.

Aloysius

Der heilige Aloysius war so fromm, daß er schon als kleiner Junge ewige Jungfräulichkeit gelobte.

Meine Mama sagte mir,
ich bekomme von ihr ein
Gescheursterchen. Ich sagte
ihr, wenn's ihr nichts
ausmacht, möchte ich
lieber ein Fahrrad haben.

Sascha

Herr Lehrer,
die Weinflecken im Heft vom
Paul sind von meinem Mann.
Strafen Sie ihn nicht er
ist schon sonst sauer.
Mit tiefempfundenen Grüssen

Wenn man
sich den Puls
fühlt und
kein Klopfen
spürt ist
man ~~Tod~~
Tot.

<u>Liebe Harriet</u>

Lebe lustig, Lebe Heiter,
küse Burschen und so weiter,
Jesus hat es selbst geschriben,
du soltst deinen negsten
                              Lieben

        Deine Sophia

Genaue Unfallschilderung mit Skizze

Herr Mittelhuber fuhr
plötzlich rückwärts und
fuhr mich um. Dann
fuhr er wieder vor-
wärts und fragte, was
dem passiert sei.

Sehr geehrtes
Finanzamt !
Würden Sie mir
bitte das dritte
uneheliche Kind
auf die Steuer-
karte setzen?

Hochachtungs-
voll !
Alois Stecker

FINANZAMT

EINGEGANGEN
-6. Nov. 1986
Erl. ....

Kurzbrief gelöscht
23.12.86

Sehr geehrter Herr ,

den Beitrag wollten wir
von Ihrem Konto ein-
ziehen. Leider wurde diese
Anforderung nicht eingelöst.

= Mug

Mein Mann ist am
16.11. verstorben.

Hoffe, dass es so seine
Richtigkeit hat.

Mit freundlichen Grüßen
Etar

Polizeiinspektion

KURZMITTEILUNG

Ein Reh überraschte auf der

B 16 einen Autofahrer und lief

direkt in den Wagen hinein.

Dann lief es ohne sich um

den Schaden zu kümmern

wieder in den Wald zurück.

Lago di Garda - Sirmione - Castello Scaligero
The Garda lake - Sirmione - The Scaligero Castle
Le lac de Garda - Sirmione - Le Château Scaligero
Der Garda See - Sirmione - Das Scaligero Schloss

Liebe Ulla,
viele Grüße vom Garda-
see. Der Wind heult,
die Möwen kreischen,
der See tobt und ich
muß immer an Dich
denken.

Dein Robert

Fotoedizioni VECLANI FRANCO - Sirmione - (Bs) - Tel. (030) 916235

Frau

Ulla Müller

Mauerkircher Str. 16

8000 München 27

GERMANIA

Riproduzione vietata

46

Liebe Frau ~~████████~~ !

Hiermit möchte ich Johanna
für heute entschuldigen,
nachdem wir gestern abend
Läuse bei ihr entdeckt haben.
   Viele Grüße
                    Elis. ~~████~~

W.E.B. Nr. _____13_____

Eine Schülerin
sollte einen
Lehrer vor der
Klasse nicht
beschimpfen oder
entblößen

David kämpfte mit den Philatelisten und sein Sohn Salomon hatte 500 Frauen und 500 Kabinen.

Der eine will
ein Bild von
der Natur der
andere von Ma-
donna!

Der Rabe und der Fuchs

Der Rabe war auf einem Eichenbaum wie ein prächtiger
König mit dem vergiftetes Fleisch und fangte an
zum Speisen. Da kam der Fuchs. Der Rabe hat sich
so geärgert, das das Fleischstück von dem Baum
fiel. Der Vogel war erstaunt, und erwiderte; Der
hinterhälltiger Fuchs erst schmeichelte er so
prächtig und dann? dann lauft er mit mein
Fleisch weg. „Na warte", rief der Rabe, „ich komme! "
Und der Rabe flog nach im hinterher.

Das Räbchen hatte den Fuchs nicht mehr sehen
können. Er sprach: „Veleicht war er in seiner
Höle." Da flog er hin, und sah den Fuchs.
Der Rabe sprach: „Was ist dem Fuchs? "
Der Fuchs sprach: „Ich habe von dem vergifteten Fleisch
gekostet und jetzt ist mir schlecht! "
Und der Rabe sprach: „Gott sei dank das
ich das nicht gegessen habe sonst wars
mir auch so gegangen. "

Die Lere:

Wers nich wagen will
muß auch füllen!

Liebe Frau ████████,

Christophe hat sich
bei einem Freund angesteckt
mit Erbrechen + Temperatur.

Herzliche Grüße

B. ████████

Schadenanzeige
zur Kraftfahrtversicherung

Unfallschilderung

(Bitte schildern Sie den Hergang ausführlich. Verweisen Sie auf das Polizeiprotokoll. Evtl. Skizze beifügen).

Er kam von links, ich von rechts
und wollte nach links abbiegen.
Ich fuhr weiter, als ich sah,
dass er mich gesehen hatte. Un-
glücklicherweise gab er auch Gas,
denn er hatte nicht gesehen,
dass ich gesehen hatte, dass er
mich gesehen hatte.

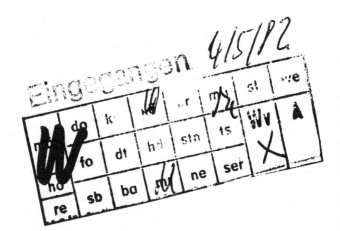

Vermerk für das Reisebüro

Auf uns 22 Damen
(Kränzchen) kam
ein einziger Reise-
leiter. Eine Zumutung,
die weit hinter
unseren Erwartungen
zurückblieb.

10/10/84
Christine Gärtner

Die Werbung

Wir sind von der
Werbung stark be-
einflußt, und ~~wenn~~
wenn man dann
ein Bedürfnis nicht
vernichten kann,
ist man unglück-
lich.

Schadenanzeige zur Haftpflicht-Versicherung

Ausführliche Schilderung des Schadenherganges (ggf. zur Verdeutlichung des Tatbestandes Skizze beifügen):

Am 16.10.86 gegen ca. 13.oo Uhr begab ich mich in das Badezimmer um meine Notdurft zu entrichten. Da ich die Tür nicht verschlossen hatte, ging diese plötzlich auf und eine andere Person trat ein.

Ich war darüber dermaßen erschrocken, daß ich den Toilettendeckel den ich mit der Hand festhielt, fallen ließ und dieser dabei zersprang.

Vorgelegt
am: 2 0. OKT. 1986

Eingegangen 19.10.
Eingegangen

Meine Tante
schenkte mir
eine Sparbüxe.
Sie war ein
Schwein.

Pierre,
Neun Jahre

die Ritter

Neben Prunksälen
hatten die Ritter
auch heizbare
Frauenzimmer.

Monika,
7 Jahre

Papi
sagst du mir
dann morgen
früh, welche
Kinder du
repariert hast
im Krankenhaus?

Sehr geehrter Herr Rechtsanwalt!

Voriges Jahr wurde ich steri-
lisirt und trozdem hat meine
Frau einen Sohn zur Welt geb-
racht. Jezt frage ich mich, ob
ich der Klinick oder meiner
Frau etwas vorzuwerfen habe.
Was soll ich machen?

KURZMITTEILUNG

☐ Nebenkläger-Vertreter

☐ Privatkläger

☒ Privatkläger-Vertreter

Vor- und Zuname

Volker

Familienstand

☒ ledig ☐ verheiratet ☐ verwitwet ☐ geschieden

Geburtsdatum

11.12.60

Beruf

Scheißer

Staatsa... ... ... und dan...
Oberlan... ...
§ 1. ... 1986
A...
... L...
Akten:

Verletzung durch ein Tier

Tierhalter (Name und Anschrift)

Das Pferd lief in die
Kreuzung, ohne sich
vorschriftsmässig verge-
wissert zu haben, ob
die Strasse frei war.
So kam es zum
Unfall!

Vorübergehende Wirtschaftserlaubnis
(§ 12 Abs. 1 des Gaststättengesetzes i.V. mit § 1 der Gaststättenverordnung)

☐ **mit Verkürzung der Sperrzeit**
(§ 21 der Gaststättenverordnung)

☐ **ohne Verkürzung der Sperrzeit**

Es liegen über
den Verkehr mit
Kunden keine
Aufzeichnungen vor.

Der Antragsteller
Familienname, Vorname,
Geburtstag
(bei Frauen auch Geburtsname)
oder (bei jurist. Personen oder
Vereinen)

genaue Bezeichnung

Anschrift

Kinder, für die Kinderfreibeträge zustehen

Vor- und Zuname des Kindes

Unser Tochter Angelika
ihr Kind das hier
vergangenes Jahr über
mein Mann seine
Steuerkarte.

K. G.

(kein Geld)

Gebühr bezahlt

Empfänger !!

Fa. Elwi

Söternstr.6

7522 Philippsburg

Zur Beachtung! Sie sind im Rahmen Ihrer Aufklärungspflicht nach § 5 Ziff. 3 AHB uns gegenüber verpflichtet, über die gestellten Fragen hinaus alle Angaben zu machen, die zur Klärung und Beurteilung des Schadenereignisses dienlich sein können.

3.1 **Der Schaden ereignete sich am:** _29.8.82_ 19___ (0-24 Uhr) _ca. 2030_ Uhr

3.2 wo: _zwischen Ebringen und Dietenhofen_
(genaue Ortsbezeichnung, gegebenenfalls auch Straße)

3.3 Ausführliche Schilderung des Schadenherganges (ggf. zur Verdeutlichung des Tatbestandes Skizze beifügen):

Ich Andreas ███ fuhr gegen 20³⁰ von Ebringen mit meinem Fahrad in Richtung Dietenhofen als mich ein dringendes Bedürfnis quälte kam mir ein Wald= weg, der rechts in den Wald führte wie gerufen. Danach als ich wieder heraustrahnt log mir leider ein Insekt ins rechte Auge, wodurch ich zuweit in die Straße geriet, und der PKw Fahrer mir in diesem moment ausweichen mußte und gegen einen Baum fuhr.

Geschäftsnummer
27 23.004/83
4 11 ks

Anmeldung des Schadens

Bei Wildschäden:

13.1   Kam es zu einem Zusammenstoß des in Bewegung
befindlichen Kfz mit Haarwild?

☐ nein   ☒ ja   mit welchem Tier

Elefant

13.2   Welche Wildspuren (Haare, Schweiß etc.)
sind am Kfz erkennbar?   *Beulen*

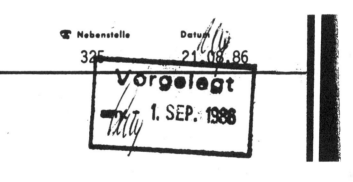

☎ **Nebenstelle**   **Datum**

325   21.08.86

DR. DIETER �▬▬▬▬▬
ZAHNARZT

Herrn

Lothar ▬▬▬▬▬▬

Weizen▬▬▬▬▬

282o Bremen 7o

Rechnung für die konservierende
Behandlung Ihrer Ehefrau

Bugo Z. Nr.   O1, 13c (15)
                     Ä 925a (35)
                     Lo6 (16)

Gesamtkosten   188,-- DM
                     ========

Bankverbindung
Deutsche Bank ... ker- und ...
... 73153
BLZ 270 ...
Sparkasse in Bremen Filiale Lesum
Nr. 1701 1369, BLZ 290 501 01

Deutscher Zeltsportverband

O. C. Camping und Rally-Freunde e.V.

Heinrich J██████████████l 2 Nelkenstr.21a

Telefon 0202██████

Mitglied der Fédération Internationale de
Camping et de Caravanning (FICC) Luzern und der
Alliance Internationale de Tourisme (AIT), Genf

Wuppertal, den 17.1o.1988

Betr. Unfall v.9.10.

Das Wohnmobil fuhr
über den Gehsteig. Dabei,
so die Aussage eines
Zeugen, rollte das rechte
Vorderrad über den Fuß
unseres Clubmitgieds
Peter F., der sich dadurch
eine Handverletzung
zuzog. Die Polizei hat
den Unfall aufgenommen.

i. A. Meyer

an die
AOK am Ort

Betr.: Hundebiß
Der Hund begann
an mir zu schnüf-
feln. Ohne eine Silbe
zu sagen, biß er mich
in das linke Bein.
Jetzt bin ich bettlägerig.

            Hochachtungsvoll
            Martina Bauer

Schadenanzeige zur Kraftfahrtversicherung Nr. 379 295-290 Ø

☒ Haftpflicht ☐ Vollkasko ☐ Teilkasko

Wann wo und wie hat sich das Schadenereignis zugetragen?
Genaue Schilderung, evtl. unter Beifügung einer Skizze erwünscht.

Ich befuhr die Kühlweinstr. in Richtung Hermann -

Röchling Höhe. In Höhe der Nr. 78 kam ein Hund

aus der Ausfahrt mit einem Rasenmäher an der Leine.

Ich versuchte noch eine Notbremsung zu machen

Stieß aber mit dem Rasenmäher zusammen!

Loo	Ha	Co	Pol	Pei
	/W			E

Schadenbüro

Hauptverwaltung
Eing.: 2 0. JAN. 1987

Eingegangen am 29.5.66
Erledigt am 18.7.66
zu AV/I a

Meldung an die
Polizeistelle 2
in
Wieblingen

Die Unfallzeugen
sind der Meldüng
beigeheftet.
Müller

Der andere Wagen fuhr auf meinen
zu, hat mir aber vorher seine
Absicht nicht im Geringsten
angezeigt. Daraufhin machte ich
dem anderen Idioten meine
Meinung klar.

Mit hochachtungsvollen
Grüßen

Konferenz-Menü

Vorspeisen

Warmer Händedruck, garniert mit tiefgekühlter Herzlichkeit
Altbackene Grußworte · Brühwarmes Eigenlob
Bla-bla in Gelee

Hauptgerichte

Gedämpfter Optimismus mit hartgesottenem
Standpunkt und süß-sauren Dementis

Angeschnittene Probleme mit Phrasensoße

Echtes Anliegen nach Sonntagsrednerart,
dazu Unausgegorenes mit eingelegten Widersprüchen

Floskelsalat mit beseitigten Klarheiten

Dessert

Tiefgefrorenes Lächeln · Gemeinplätzchenkäse
Kalter Kaffee · Bla-bla mit Schokoladenstuß

Weine

Plappersberger Miesling · Schwulstheimer Langweiler
Simpelsweiler Schwätzerling · Scheurede-Sabbelnett
Trockenredenauslese

18. März 1971

Haftpflicht-Schadenanzeige

Ausführliche Schilderung des Schadenherganges:

Im Unterhaus meines
Hausbesitzers zerbrachen
in der Verbindungstür
3 Scheiben durch Zugluft,
die ich selbst verursacht
habe.

Ereignete sich der Schadenfall bei Erfüllung eines von ihnen übernommenen Auftrages oder sonstigen Vertrages?	
Worin bestand die auszuführende Leistung?	
Welcher Berufsgenossenschaft gehören Sie an? (Bitte genau angeben)	
a) Mit welcher Begründung wird Ihnen, einem Ihrer Familien- oder Betriebsangehörigen ein Verschulden beigemessen?	
b) Gegen wen) richtet sich die Beschuldigung?	Name: .... Anschrift: ....

Fragen bei Sachschaden

Was wurde beschädigt
(genaue Beschreibung m. Wertangabe)

ein Widiogeräd und
Vernsehaparat

Von wem und welche Ansprüche wurden an Sie gestellt?

Herr ▓▓▓▓ möchte
Sein Gerät soo zürück wie

Jch es bekommnen
habe.

Bestellschein
Kfz-Markt

- ☐ Kfz-Verkauf
- ☐ Kfz-Ankauf
- ☐ Motorrad-Verkauf
- ☒ Motorrad-Ankauf
- ☐ Wohnwagen
- ☐ Wohnmobile

TAUSCHE CARMEN
GEGEN KAWASAKI

Name, Vorname

Straße, Nr.

PLZ/Ort

Unterschrift

Der Betrag von DM _____ 10,-

liegt als Scheck ☒ bei / ☐ soll abgebucht werden

1. HK

2. HK

Nach Korr.
DRUCKREIF

Der Frosch

Wenn man den Frosch in Hinsicht auf seinen schwanz betrachtet, so bemerckt man, das er keinen hat!

Ich finde es eigentlich schade,
das die Priester nie heiraten
sollen. Viele finden es sicher
auch schade, weil sie
vielleicht gerne küssen, was
sie nicht dürfen. Und
Kinder kriegen auch nicht.

Melanie, 11 Jahre

Eine katholische Schwester

kann nicht austreten, da sie

zeitlebens im Kloster leben muß

Nach der Schlacht bei
Leipzig sah man viele
Pferde, denen drei,
vier und mehr Beine
abgeschossen warten,
herrelos umher-
laufen.

An	W. Sommer
Mitarbeiter-Nr. bzw. ~~Verm~~ ~~~~	265`187

Bearbeitungsauftrag

Die Hausgehilfin läuft
das ganze Jahr über
durchs Journal. Das
geht nicht, weil sie
überwiegend privat
benutzt wird ...

Brand-Schadenanzeige

Fragen an den Versicherungsnehmer

1.a) Wann ist der Schaden entstanden?   *10. 6. 87*

b) Wann und von wem wurde er entdeckt?   *Von mir*

c) Wann wurde er dem Vertreter der Gesellschaft gemeldet?

d) Welcher Polizeibehörde und wann wurde er gemeldet?
(Diese Anzeige muß gemäß den Bedingungen erstattet werden.)

e) Sind polizeiliche Ermittlungen angestellt worden, und welches
Resultat haben sie ergeben?

*Da meine Tochter und ich im Hause
anwesend waren, handelt es sich um
eine starke Geruchsbelästigung im ganzen
Haus.*

Datenerfassung erl.
Dat. *19. 6. 87* Hd-Z.

ZA

Einige Leckerbissen mit bis zu dreieinhalb Meter Spannweite

Strahlende Rinder täglich am Telefon

Ertrunkener kam mit Schreck davon

Eine Stimme, die sich sehen lassen kann

38 Prozent aller Studentinnen sind weiblich.

Totes Kalb blieb einfach liegen

Kind hört schlecht

Vielleicht liegt es an den Ohren

TV-Satellit geriet ins Turteln

CDU zur Schulentwicklung

Nachrichten aus dem Schlachthaus

Allolol auf dem Fahrrad: Zwei Crashs in Singen

Nachdenken über Rechschreibung

Diavortrag über die „Uhrzeit der Erde"

Angebot der Woche

Bienenstich statt ~~1,10~~ **1,50**

Zum Einmachen:
Zarter Kopfsalat **-,79**
Kl. I, großer Kopf

Grobe
Streichelwurst
frisch und aromatisch
100 g **1.48**

Bistro an der Oper
½ lebender Hummer DM 21.50

1/2 Hendel
nur 3,75 DM

Wir grillen hier
jeden

Bremer Brillant Kaffee
Vacuum, 500 g
25-
Wahnsinnspreis

Frisch vom Fachmann:
Delikateß-Metzgermeister-
Hinterschinken
gekocht, saftig
100 g **1.88**

Südtiroler
Frischwurst-
Konfitüre
Schwarzkirsch, Aprikose, Pfir-
sich 450-g-GL
1.79

Deutsche
Fisch-Eier

Kl. A/8
10er Packg.

1.59

IMMOBILIEN

Tag + Nacht suchen wir in fremden Wohnungen nach tollen, preisw. Möbeln f. Sie. Möbel-Basar, Schützenstr. 13.

1 - 1 1/2-Zi.-Wohnung To von Herrn, ledig, auch renov.- bedürftig, in Arheilgen o. Kranichstein gesucht

Jg. Mann, 33 Jahre, mit Hund, beide berufstätig, sucht f. sofort 2½-Zi.-Wohnung bis KM 350,– DM. Tel. 0 23 06/

Gottesfürchtige, der Jesu Christi Weissagung (Johannes Evgl. 21 Vers 23), seit 1956 das Segensgeheimnis begann, verbunden, sucht dringend preiswerte

35-40-m²-Wohnung

mit Waschmaschinenanschluß in

ab 35 m² bis 450,- warm. Tel. , ab 11.00.

Heilpracktigerin sucht 1 ZKB, Balkon,

Suche Appartement, KDB, Bonn-Mit-

Streitsüchtiger Fußgänger festgenommen

Mit Hund beworfen und mit Schraubenzieher verfolgt

In jedem Hotelbett mehr als 60 Urlauber

Verlorene Vorhand wiedergefunden

Pechschwarze Geburtenrate: Jeder muß ran!

Umweltminister will Po säubern

Neue Serie # Arbeitslos – so hab ich's geschafft

Beim Familien-Urlaub gibt's »Kinder gratis«

Zweijähriger lief mit Hund über Land

Mit 145 km/h durch die Radarkontrolle gerast

Vogelschützer können Eier verlassener Gelege ausbrüten

Drogen: Junger Hamburger tot bei McDonald's

An das hiesige
Wohnungsamt

Marktplatz 4

Sehr geehrter Herr Amtmann!

Ich möchte dringend eine
größere Wohnung zugewiesen
haben, da ich in der
jetzigen dauernd der
Sittlichkeit ausgesetzt
bin.
        Hochachtungsvoll!

        Maria Fieser

Kündigung der Lebensversicherung

Auf Grund eines Bibelstudiums haben
wir erkannt, daß dieses System nicht
mehr so lange bestehen kann,
daß wir noch in den Genuß einer
Lebensversicherung kommen.

2. Petrus 3 : 7, 9, 13

Barbara U███████

Kündigung/Abmeldung

Persatz-Nr.	Tarif	Storno-beitrag DM	Storno-per Monat	beantr. Storno-Monat (nachr.)

Herman ████████
84 ████████, 11. 3. 88
Leimbergerstr. 45

Bin im 95. Lebensjahr
u. habe meinen Verstand
vor kurzem verloren.
Müß ich Arztrechnungen
an Sie einschicken?

Ihr
H. ████████

AOK
Eingang

Unfall-Anzeige

Unfallschilderung
Wie hat sich der Unfall ereignet und worauf ist er zurückzuführen?
(Eingehende Beschreibung des Unfallvorganges ggf. mit Unfallskizze,
evtl. auf gesondertem Blatt)

Beim Versuch eine
Eisenstange zu
begradigen schlug
diese zurück!

Sehr geehrte Herren!

Da meine bisherigen Ein=
gaben keinen Erfolg hatten,
muß ich Sie bitten, mich
jetzt innerhalb von 8 Tagen
zu befriedigen, sonst muß
ich mich an die Öffent=
lichkeit wenden.

Hochachtungsvoll!
Ida Wüst

Wie und warum kam es zu dem Vorfall?

Schilderung des Ereignisses

– Einfache Skizze bitte beifügen –

Wie und warum kam es zu dem Vorfall? Bitte genau schildern und evtl. noch ein Blatt beifügen. Hinweis auf Forderungsschreiben des Beteiligten ist nicht ausreichend! Soweit zutreffend, Beschaffenheit von Straße, Weg, Hof, Treppe, Fußboden und Arbeitsgeräten, Schutzvorrichtungen beschreiben, auch Stufen, Stockwerke, Räumlichkeiten bezeichnen und Mängel kennzeichnen.

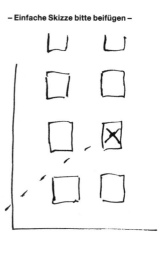

Eing. 1 3. MRZ. 1981
Akten-Nr. F 307 / 36
Erledigt

JESUS ist in unser Leben
getreten!

Anbei geben wir zu unrecht er-
haltene Leistungen
befreit zurück!

IHM sei Ruhm, Preis u. Ehre
in Ewigkeit!

Mit freudigen Grüßen.

Eine "erlöste" Familie!

Unfallschilderung

Ich kam von der Straße
ab, wobei ein Baum
meinem KFZ nicht
ausweichen konnte.

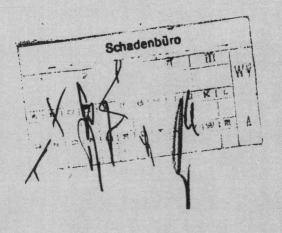

Schadenbüro

Schadenanzeige

Welcher Art ist die Verletzung oder Schädigung?	Rosenkugel vom Hund abgebissen
Wo hat sich der Unfall ereignet? (Ort, Straße, Haus-Nr.)	Bonn 19 ?mögliche
Wann hat sich der Unfall ereignet? (Datum, Uhrzeit)	11.12.20.. 13:20

Als Haftpflichtversicherer wurden wir davon unterrichtet, daß Sie Schadenersatzansprüche erheben.

Bitte schildern Sie den Vorfall ausführlich. Worin erblicken Sie ein Verschulden unseres Versicherungsnehmers.

Zur Beurteilung des Schadenfalles benötigen wir noch folgende Angaben:

Bitte senden Sie uns die beschädigte Sache auf unsere Kosten zu. Geben Sie dabei die Schadennummer auf dem Paket an.

Mit freundlichen Grüßen

Ihre ▆▆▆ Versicherung AG

Kier mit bestetige ich das
meine dochtA Vasic Natali AM
12.2.86 nicht inder schule Gen
honte bis 14.2.86. weil sie fiber
geApt att.

Danke

Vasic MARLO

Feststellung von Wildschaden

Nähere Angaben über Art, Umfang
und Höhe des Schadens

Mehrere Rinder waren aus
ihrer Weide ausgebrochen
und liefen auf der Straße
zwischen Flourn und Peter-
zell herum. Die Tiere
wurden zusammen mit dem
inzwischen ermittelten
Besitzer eingefangen und
auf eine Weide getrieben.

FRAGEBOGEN

Wie lauten die bei Behandlungsbeginn erhobenen Befunde?

Meine Diagnose lautet glasklar
alkoholtoxische Lebercirrhose

Welche Behandlungen wurden im einzelnen durchgeführt?

Es gibt keine Behandlung dafür
außer Weglassen jedes Tropfens.

Welche Maßnahmen sind beabsichtigt bzw. angeraten?

Eintritt in die Organisation der

" Anonymen Alkoholiker".

Besonderheiten bzw. sonstige Krankheiten?

Nein, dies genügt.

Dr. med. G.
██████████ / Utw.
████████enstr. 86
Tel. ████████

| Datum | Stempel und Unterschrift des Arztes |

Freie Hansestadt Bremen

— Staatl. Hygiene-Institut
der Städtischen Krankenanstalten) ☎ (04 21) 4 97 - 50 14

Bremen, den **22·08·86**

■ Rechnung ■
8% (Durchschrift gilt als Original)

BEI ZAHLUNG UNBEDINGT ANGEBEN

Rechnungs-Nr. ▶ 540 — 72969480

Meine Frau ist am 23.8.86
eingeschlafen. Haben Sie herz-
lichen Dank für Ihre gute Arbeit.
Bitte, ziehen Sie nicht weiter Beiträge ein.

Freundliche Grüße

Beratungsbericht

Besuchter Kunde:

. . . . . ~~████~~sberg . . . .

Besuch durchgeführt am:

4.6.87 . . . .

Gesprächsklima:

.Zurückhaldent "Na mein Mann ist.

schon 58Jahre und mir machen
. . . .

nichts mehr ."
. . . .

Beschl.

Zu den Akten.

LG	StA LG	AG	AA
	X		

Sehr geehrte Herren!

In der Anlage reiche ich
5 Original unter-
lagen ein.

Entschuldigen Sie bitte
mein Schriftbild, aber
ich kann leider nicht
mehr sehen, was
ich geschrieben habe.

H / B▮▮▮▮

Einladung

Idstein. 17 bis 18 Uhr, TV-Turnhalle, Schwangerschaftsgymnastik für alle älteren Mitbürger.

1. Vorsitzender: *[Unterschrift]*

Stellvertr. Vorsitzender:

Automarkt

VW-Koffer, EZ 12/75, 43 PS, § 10/89, ASU, neu, 8fach bereift, VB 500,-. „AZ"

VW Käfer 1303, Bj. 74 <u>RÜV 10/89</u>, m. Schönheitsfehler u. <u>Schluckauf</u>, f. 1111,-, Tel. 06 21 ▉

Wer tauscht

Kasten Bier + 1 Fl. Korn gegen Lkw Mutterboden? Tel. ab 17 Uhr

2 Damenfahrräder, 5-türig, gut erhalten u. 4 Reifen 185/70/13 m. Felgen

Junger Polo, 30 J., sucht Arbeit aller Art. ☎ ▉

Total verheizter VW Passat L, Bj. 76, 2 Maschinen, für eine warme Mahlzeit od. dem Meistbietenden, abzugeben.

VW-Kuhkalb zu verk.
Tel. 6▉

Tiermarkt

Ente 2 CV 6, EZ 7/83, Motor neu, 29 PS, TÜV neu, Radiov., Rolldach, hellblau, Reifen neuw. 3750,- Vh

Aus-u. Einfahrt
freihalten!
Bissiger Hausherr

Schafherde

Viehtrieb

Bitte nicht
ärschlings einparken

Vorsicht!
Freilaufender Hund!
Wenn der Hund kommt -
hinlegen und auf Hilfe warten.
Wenn keine Hilfe kommt, dann ......
viel Glück !!

Fritz Bormann
Zahnarzt
Alle Kassen
Neubeuerner Str 10/1

Sprechst Mo Di Do 9-12 15-18^{30}
Freitag 9-14 Uhr

Wulf Chr. Qualen
Zahnarzt
Sprechzeiten:
Mo.- Fr. 9-12 u. 15-18
außer Mittwochnachmittag

Dr. H.-G. Goldlücke
Zahnarzt

Mo. Di. Do. Fr.   10 – 11 Uhr
u.   16 – 17 Uhr
u. nach Vereinbarung

Sehr geehrte Herrn!

Hiermit möchte ich die Versicherung kündigen.

Da ich vor einiger Zeit mein ganzes Leben in die Hände von Jesus Christus gelegt habe, bin ich überzeugt davon das Jesus mich beschützt und behütet und somit eine solche Versicherung für mich überflüßig ist.

Dr. H. Su[...]

prakt. Tierarzt

[...]heimar, den 24.10.87

Mestr[...]p 3a

Tel. 02[...]52 und 7[...]

21.10	20 00 g	Besuch und Beratung
	Betäubung 1 Sau ; 3 Inj.↑
	1 Sau Absch. verendet durch
	Aufgeben eines Ballons
	Sau Nachbeh. : 3 Inj.
22.10. Sa	
23.10.	pa Telefon Rat aus Vorbehandlung
	Altech aufgestellt

Kurzbrief

Termin

Von ☐ HV ☐ V ☐ VL ☐ VV ☐ SaR ☐ mh

9. NOV 1988   A

WV:

Ihr Schreiben vom
28.10.

Bearbeitet von
mk-se-ig

Betrifft
Hausbrand

Der Versicherte Konrad Wagner
unterschrieb bei Ihnen am
20.10. die Feuerversicherung,
und zwar um 10.30 Uhr. Der
Brand brach aber erst um 11 Uhr
aus. Können Sie die Verzögerung
von einer halben Stunde erklären?

AUF WUNSCH ZER-
SCHLAGE ICH MEI-
NER KUNDSCHAFT DIE
KNOCHEN!

Metzgermeister Klaus Heck

**Außer Bier
noch viele andere
warme
Getränke!**

Gasthof zur Post

R U N D B R I E F

Erstattung von Verfahrenskosten

Es wird darauf hingewiesen, dass
das Landesarbeitsgericht Rhein-
land-Pfalz folgenden Beschluß
gefasst hat:
"An sich nicht erstattbare
Kosten des arbeitsgericht-
lichen Verfahrens sind inso-
weit erstattbar, als durch sie
erstattbare Kosten erspart bleiben."

Mainz, 22.9.1987

Drücken vorwärts und abwärts zwei
Henkel mutige Schraube der Oberen und
niederen seiten des Rahmen—kragstein
berücksigtig solange sie können vorwärtz und
abwärtz dann festigen vier Henkel Schraube.

Deutsche Bundespost
TSt München
Telegramm

5131ra mchn   x
4111th ffm   d
zczc 030   d =
bad homburg v d hoehe/4 15/13 1

henri

(8000)muenchen/40

4280

Telegramm

henri komm zurueck koche nie

wieder rouladen

anna

nnnn
5131ra mchn   d
4111th ffm   do

Eingegangen

4. AUG. 1982

███████ MÜNCHEN-Land

Kurznachricht

Betreff:
Unfall Dr. Wolfgang ███████ln
c-75-127-80-50019

Zeuge
Name und Adresse

Jakob ███████
gärtnerstr. 22
53██████████ich

z. Z. verstorben

Mit vorzüglicher Hochachtung

Rechtsanwalt

Finanzamt .... **Bruchsal** ....

Bescheid

Über Kraftfahrzeugsteuer

Festsetzung
Die Steuer für das Fahrzeug mit dem amtlichen Kennzeichen
wird gemäß § 12 Abs. 2 Nr. 3 KraftStG neu festgesetzt
 - für den 17.03.87 auf   0,00 DM

Abrechnung
nach dem Stand vom 15.04.87
Steuer für den 17.03.87   0,00 DM
bereits gezahlt   0,00 DM
                                 ----
zuwenig gezahlt   0,00 DM
entstandene Säumniszuschläge   5,00 DM
                                 ----
bleiben zuwenig gezahlt   5,00 DM

Bitte zahlen Sie
sofort   5,00 DM

Erläuterungen
Bemessungsgrundlagen: Fahrzeugart Pkw, Hubraum 1.956 ccm,

Die Steuerpflicht endete am 17.03.87.

Der Unfall

Wenn mann von Berg fällt?
Oder ein Auto ein Überfährt?
Wenn mann erdrückt ertrinkt?
Oder mann erschist sich?

Wenn ein Spliter in Auge kommt?
Wenn ein Pferd auf einen tritt?
Oder mann stolbert und blutet?
Wenn mann eine Hand absägt?
Wenn mann sich schneidet?
Wenn mann gefressen wird?
Wenn ein Vogel ein beist?

Wenn ein Spitzer stift ins Auge
kommt dan ist mann blind?

Stefan Dürbeck

Liebes Christkind!
Ich wünsche mir:

ein Messer- Kürtel und ein
Messer dazu.
Christkind ich wünsche mir noch
einen schwarz weiß
Fernseher

und noch eine
Tascatur vom Computer.

Dein Daniel, 8 Jahre

Napoleon

Napoleon ließ den Buchhändler Palm erschiesen, um ihn einzuschüchtern.

Eva
Klasse 5 B

Aufsatz

Graf Zeppelin war

der erste, der nach

verschiedenen Rich-

tungen schiffte

In den Ferien
spielt mein Vater
mehrere Stunden
mit uns, dann will
er alles nachholen.
Deswegen sind
Ferien sehr anstreng
end.   Bjorn

An das Wohnungsamt!

Ich bitte hiermit das Kind zu streichen, da es ein Versehen des Bürgermeisters war.

Freundliche Grüße
Fritz Bauer

Programmhinweis

25.52 Nachrichten
Sendeschluß etwa 23.57

»18.10/Essen wir Gott in Deutschland.«

> Der sowjetische Film:
> Panzerknacker Potemkin JH
> Areal, 20:00

Stadttheater Regensburg

Aida, Opa von G. Verdi
Samstag, 30. 1. 1988

9.00 Frühstücksfernsehen (bis 9.00)

Das Erbe der Guldenburgs. Fernsehserie in 14 Tagen.

	Tatzeit 12.00	Kennzeichen ▮▮▮▮
ttag (Datum) 4.8.86		
ahrzeugart/Hersteller: VW-Golf		

Tatort: Frankfurt
Parkstraße

⟶

Zuwiderhandlung:
☐ siehe Rückseite unter Nummer ⟶

		erlaubter Wert
☒ Sie fuhren um 12.00 mittags ohne Beleuchtung		gemessener Wert

Sehr geehrte(r) Verkehrsteilnehmer/-in!
Ihnen wird eine Verkehrsordnungswidrigkeit zur Last gelegt. Sie werden deshalb in der nächsten Zeit von der zuständigen Verwaltungsbehörde weitere Mitteilung erhalten. **Bitte sehen Sie aus diesem Grunde von Vorsprachen bei einer Polizeidienststelle ab;** Zahlungen können dort nicht entgegengenommen werden.

Hochachtungsvoll
Polizei des Landes Hessen

Madam – Sir,
you are charged with an infringement of traffic regulations. You will therefore receive further notification from the competent administration authority in the near future. **Please refrain from contacting the police station** as payments cannot be accepted there.

Yours respectfully
Hessen State Police

Madame – Monsieur,
en vous imputant la responsabilité d'une infraction au code de la route, l'autorité compétente vous précisera, un de ces jours, l'élément relatif a cette infraction. **Par conséquent, il est inutile de vous présenter au Bureau de la Police,** qui d'ailleurs, n'est pas autorisé d'accepter de paiements.
Veuillez agréer, Madame – Monsieur, l'expression de nos salutations distinguées.

La Police du Land Hesse

Egregio Signore – Gentile Signora,
essendo accusato-a di avere commesso un'infrazione ai regolamenti de circolazione stradale, l'Autorità competente Le farà avere prossimamente elementi del caso. **Voglia pertanto farne a meno di recarsi presso gli Uff della Polizia** i quali, d'altronde, non sono autorizzati ad accettare dei pagame

Distinti saluti,
La Polizia della Reg
dell'Assia

PERSONALANFORDERUNG

Bezeichnung der Stelle

Putzfrau mit
EDV-Kenntnissen

Hauptaufgaben auf dem Arbeitsplatz:

Halbtagsbetreuung (Teilzeit)

Putzen und Reinigen

Telefondienst

Ablage

Briefe auf Maschine

oder Computer schreiben

 **Freiwillige Feuerwehr**
Ortsfeuerwehr

12.01.1988

<u>An alle Kameraden der Ortsfeuerwehr</u>

Die Jahreshauptversammlung der Ortsfeuerwehr findet am 5.2.1988 um 19.00 Uhr im Gerätehaus statt.

<u>Tagesordnung:</u>

1. <u>Begrüßung und Ehrung der Verstorbenen</u>
2. Genehmigung der Niederschrift der Jahreshauptversammlung 1987
3. Bericht des Ort

Gesund durch's Tote Meer!

Sommer '88 – Linien- und Charterflüge

ab allen deutschen Flughäfen und Basel

Der Geheimtip gegen Psoriasis und Rheuma

Preiswerter als im Vorjahr

Erläuterungen zur Unfallanzeige

(Genaue Beschreibung des Herganges)

Ich bin deshalb so
schnell gefahren,
um einen Stein
aus dem Reifen-
profil herauszu-
schleudern.

2.3.6 Stress- und Belastungstest

Bitte vergleichen Sie Ihre eigene Situation mit den folgenden Aussagen.
Kreuzen Sie spontan, ohne lange nachzudenken, das Zutreffende an.

Symptome	Die Aussage stimmt für mich... oft / meistens	zum Teil / hie und da	selten / nie
1. Ich ärgere mich, wenn ich warten muss.			X
2. Ich nehme oft Arbeit mit nach Hause. *schön blöd!*			X
3. Ich rauche mehr als 10 Zigaretten pro Tag. *30*	X		
4. Ich trinke täglich Alkohol. *6-8 Bier*	X		
5. Ich habe mehr als 10 kg Übergewicht. *25*	X		
6. Ich treibe keinerlei Sport. *nur Liebe*	X		
7. Ich werde oft von verschiedenen Seiten gefordert.			X
8. Ich mache nie eine richtige Pause. *Der Bürodlaf ist die Beste*			X
9. Ich werde häufig gestört (Besucher, Telefon, Lärm usw.). *dito*			X
10. Nach beruflichem Ärger habe ich Bauchschmerzen. *Cognac hilft*	X		
11. Wenn ich etwas richtig erledigt haben will, muss ich es selbst machen.			X
12. Meine Mitarbeiter sind zu wenig qualifiziert. *alles Flaschen!*	X		
13. Nach Abwesenheit habe ich den Tisch voll Papier.			X
14. Ich mache häufig Überstunden. *nein*			X
15. Bei Problemsituationen erwache ich nachts und kann nicht mehr einschlafen. *Chef*			X
16. Ich habe oft das Gefühl, meine Arbeit wächst mir über den Kopf.			X
Anzahl der Kreuze:	6		10

Aushang

Bei schweren, insbesondere
tödlichen Unfällen sind die
Staatliche Ausführungsbehörde
für Unfallversicherung und
die Leitende Fachkraft für
Arbeitssicherheit vorweg tele-
fonisch zu verständigen.

Universität München

Josef ▮▮▮▮▮▮

Ruf-Nr.02▮▮▮▮▮

An die

1983 IX 28

▮▮▮▮▮▮▮▮▮▮▮▮▮▮

Lebensversicherungs AG

Postfach 20▮▮▮▮

8000 M Ü N C H E N
=====================

Kündigung meiner Lebersversicherung

Gemäß meiner tiefsten Glaubensüberzeugung,

daß ich unsterblich bin, wenn ich mich

der Erbschuldbelastung enthoben habe,

kündige ich hiermit die Lebersversicherun▮

RW 5697,31 z. 1.10.83

Form. 20504 am 30.09.83

Kü/Bfr. T. 808 Sb ▮

Vertrag
stornieren

An .... **14. 10.** .... Uhrzeit **11⁰⁰**
Datum

Was war inzwischen?

Herr / Frau / Frl. .... *Moster* ....

von ....

Telefon ....

rief an   ☒   erbittet Rückruf   ☐

war hier   ☐   ruft wieder an   ☐

möchte Sie treffen   ☐   rief zurück   ☐

Nachricht *Herr Moster vom*
Gemeinderat frägt
an ob der Fasching-
ball am Pfingst-
Sonntag stattfindet.

Maier

Unterschrift   V 2a/Nr. 254 /Aug. 78

Zuchtbericht 7

Abweichend von Paragraph 2 werden bei Schafböcken, die in einem Kreuzungszuchtprogramm als Väter von Endprodukten verwendet werden sollen (Kreuzungszuchtböcke), die Zuchtwertteile Fleischleistung und Zuchtleistung einheitlich für alle Kreuzungszuchtböcke des Kreuzungszuchtprogramms G festgestellt, und zwar der Zuchtwertteil Fleischleistung durch Prüfung einer Stichprobe der Endprodukte und der Zuchtwertteil Zuchtleistung durch Prüfung einer Stichprobe der Mütter von Endprodukten des Kreuzungszuchtprogramms. Der Zuchtwertteil Fleischleistung umfaßt mindestens die Leistungsmerkmale Gewichtzunahme, Verluste wären der Mast und Fleischanteil, der Zuchtwertteil Zuchtleistung mindestens die Leistungsmerkmale Anzahl der geborenen und Anzahl der aufgezogenen Lämmer.

Wetzlar, 10.3.75

Sehr geehrter Herr
                    Rechtsanwalt!

Ich befinde mich zur
Zeit in der Frauenkli-
nik «Theresienheim»,
wo ich infolge eines
Verkehrsunfalls meine
Niederkunft erwarte.
        Hochachtungsvoll
        Christel Hertl

Bericht

In Höhe des Donnerbachweges
kam der PKW auf eisglatter
Fahrbahn ins Schleudern und
fuhr in ein rechtsseitig der
L 183 gelegenes Feld. Hierzu
benutzte er eine etwa drei
Meter tiefe Böschung, was
ihn zu einem mehrfachen Über-
schlag veranlasste.

24.02.88

Sehr geehrte Damen und Herren!

ich wäre Ihnen dankbar, wenn Sie mir
sagen würden, wieviel mehr ich zahlen
würde (Beitrag, monatlich), wenn
meine Frau (Ärztin) von meiner
Krankenversicherung gedeckt werd
und wenn später noch ein Kind
dazu kommen sollte.

Mit freundlichen Grüßen

(A. MUNRO)
7761761 - 531

Anzeigen-Bestellschein Heiraten ⫸▶◀⫷

Absender

~~P~~ BJÖ~~l~~

Name | Vorname
384

634802-406 | 7001
PLZ Ort | Telefon
Kto.-Nr. | BLZ

Gewünschte Rubrik ☒ Heirat ☐ Urlaub
☐ Bekanntschaften ☐ Hobby/Sport

DM 5,-	S	E	E	M	A	N	N		S	U	C	H	T		
DM 10,-	F	R	A	U		M	I	T		K	L	.			
DM 15,-	S	C	H	I	F	F									
DM 20,-															
DM 25,-															
DM 30,-															
DM 35,-															
DM 40,-															

zum Satz

Krankheitsbescheinigung   Nr.: ....

(Am Tage der Wiederaufnahme des Schulbesuchs mitzubringen)

~~Die~~ Schüler~~in~~ Martin Kriegel .... Kl.: 11b

Der Schüler ....

war am 12.Mai.1984 .... Uhr, mit ....

mit starker Erkältung

wegen ....

an Schulbesuch verhindert. ~~Sie~~/er kann die Schule wieder
besuchen.

Diese Entschuldigung wurde maschinell erstellt.
....

München, den ....

Ohne Unterschrift gültig

                              Erziehungsberechtigter

....
Signum d. Klassen~~lehrers~~

Merkblatt

S... ...bereit sein muß, ent-
sprechend zu reagieren.

5. Bei zunehmender Dämmerung
hat der Soldat alsbald mit
Dunkelheit zu rechnen.

6. Bei Nacht wird das Sehen
durch Dunkelheit erschwert.

7.Es ist Pflicht des S...
daten... ...ngen mit

Verwarnung/Anhörung des Betroffenen wegen einer Verkehrsordnungswidrigkeit Eilsache!

München, den **08.11.1988**   **52736162**

Sehr geehrte Dame, sehr geehrter Herr,
Ihnen wird vorgeworfen,

am **18** **10** **88** um **16**
    Tag Monat Jahr   von

Angaben zur Sache: – freiwillige Angaben –

Wird der Verkehrsverstoß zugegeben?

ja [ ]   nein [X]   Zutreffendes bitte ankreuzen

Wenn nein, aus welchen Gründen?
(Im Bedarfsfall gesondertes Blatt beifügen)

Bei dem Tempo von 120 km konnte ich das Verkehrschild mit der Geschwindigkeitsbegrenzung von 60 km nicht sehen.

- ☐ Ihr Schreiben vom
- ☒ Ihr Anruf/FS vom   12.4.
- ☐ Unser Gespräch am

Anbei erhalten Sie:	mit der Bitte um:	Anlagen
☐ Kopie	☐ Anruf	☐ Verbleib
☐ Muster	☐ Erledigung	☐ Rückgabe
☐ Prospekt	☒ Kenntnisnahme	☐ erbeten bis/am
☐ _____	☐ Stellungnahme	

Betreff: Impfung

Sie werden aufgefordert, Ihren Hund
zur Pflichtimpfung vorzuführen. Soll-
ten Sie nicht erscheinen, wird bei
Ihnen die Impfung gegen Entgelt vor-
genommen.

Ich habe seid
Jahren einen

Freihbetrag

30 prozent Bandscheibe

Schadenanzeige

Genaue Unfallschilderung mit Skizze

Meine Jeans war so eng,
daß ich mich nicht
weit genug umdrehen
konnte, um das Auto
zu sehen.

Verkaufe Safe wegen Geldmangel. ~~(strikethrough)~~

Auf Ihren Besuch freut sich

Eva Holzhauser

Bestattungsinstitut

Kredit
nur an 80jährige in
Begleitung ihrer Eltern

Verschenke halbes Ehebett u. 1 kl.
Schränkchen, auch als Brennholz.

**Wer kann mit ca. 1000
Mark aushelfen? Bin Mutter
von ca. 3 Kd.**

Suche Billigbücher
ca. 4 m, mit brauchbaren Rücken.
Inhalt ist wurscht. Telefon ~~(......)~~

Kinder-Konfektion
Brautkleider
Trauerkleidung

Suche Bandwürmer
für meine dicken
Patienten.
Chiffre 2611

Haste
Landkreis Schaumburg

Lust

Achtung
Slip

Busendorf 1 km

Ehegarten
1 und 2

Jung-
gesellenfest
in Weibern

Samstag. 23. 5.
20.00 Uhr Tanz

mÄNNER
HERVORRAGENDE MARKENFABRIKATE
STARK
REDUZIERT

21 Stellengesuche
Angebote

Servierter Barkeeper für Discothek gesucht.

Nebenberufliche Damen und Herren gesucht.

Suche für 3–4 Nachmittage ältere Dame, die meine Tochter, 8 Jahre, beaufsichtigt und bügelt.

Englischsprechender Babysitter für neugeborenes Baby tagsüber gesucht.

Rentner
oder ähnliches zum Rasenmähen in Fürth gesucht. Ohne LStK.
Bezahlung DM 12,-/Std.

Planmäßiger Assistenzarzt gesucht. Kenntnisse in der Medizin erwünscht.

Alle Achtung: Bauunternehmen sucht Tiefstapler, die hoch hinaus wollen. Treffpunkt: Montag, 7.00 Uhr, Baustelle Hasenheide

Für unser Jugenderholungs- und Schullandheim Puan-Klent auf Sylt
suchen wir zum frühesten Termin einen

Haumeister

LETZTE KARTOFFEL
100 METER ➜
VOR DER AUTOBAHN

Eigenverzehr
nicht
gestattet

◀ Museumsfriedhof
★ Lustiger Friedhof ★

 GEFRIER **HUNDE**
FUTTER **KATZEN**

Vorsicht Hund!
Beißt nur außerhalb
der
Öffnungszeiten

**Bitte
Kirschen klauen
nur Kunden gestattet**
Die Eigentümer

·Toiletten· ➤

·Rheinfall· ➤

Seniorenwohnung
➡

**Durchgang auf
eigene Gefahr!**

»Es fängt damit an, daß am Ende der Punkt fehlt«